水晶球与除法魔杖

（美）帕姆·卡尔弗特 著
（美）韦恩·吉亨 绘
丁 蔚 译

外语教学与研究出版社
北京

“小零！小零！”一大早，彼得王子就在四处寻找他的小狗。今天早上，小零刨出了乘法魔杖，之后竟然和魔杖一起不见了。“万一乘法魔杖落入坏人手里，后果将不堪设想。”彼得越想越着急。

彼得经过一个农场，看到奶牛群里有 5 只非常奇怪的动物在吃草。这些动物既像奶牛，又像青蛙，其中 1 只“青蛙奶牛”看到彼得还停下来，呱地叫了一声。

“这是什么动物啊？是不是奶牛吃错东西才变成这个样子的？”彼得觉得非常惊讶。

正在这时，彼得突然听到一阵尖叫声，“天哪，我的孩子怎么变成青蛙了！”彼得赶紧跑过去一看，只见前面路上有 2 只孩子大小的青蛙围着 1 位女士和 6 个孩子跳来跳去。

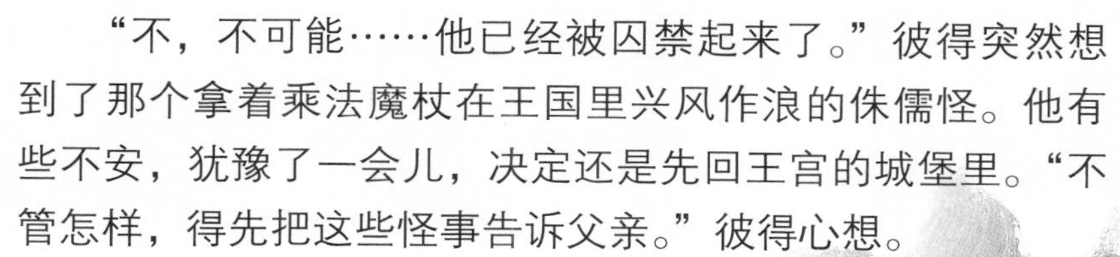

“不，不可能……他已经被囚禁起来了。”彼得突然想到了那个拿着乘法魔杖在王国里兴风作浪的侏儒怪。他有些不安，犹豫了一会儿，决定还是先回王宫的城堡里。“不管怎样，得先把这些怪事告诉父亲。”彼得心想。

来到城堡的大门前，彼得看到负责守卫城堡的 12 位骑士站在那儿。彼得正想过去跟骑士们打个招呼，突然间，地面剧烈地晃动起来。

随着砰的一声巨响，12 位骑士中的 4 位竟然变成了 4 只穿着锃亮盔甲的青蛙！

“难道侏儒怪真的回来了？”彼得更加疑惑，急忙冲进了城堡里。

彼得跑到大厅里，看见母亲正在大哭，腿上还趴着一只大青蛙。

“母亲，父亲去哪儿了？”彼得见到青蛙，更着急了。

“他……他又变成了青蛙……”

“又？”彼得很惊讶。

“嗯，你父亲还是王子的时候，被一个叫玛蒂尔达的女巫施魔法变成了青蛙。后来一位公主亲吻了他，才解除了魔法。我刚才也吻了他，可这次吻他也不管用了。”

“等等……一位公主亲吻了父亲？”

“是你父亲遇见我之前的事，那件事说来话长。”

“哦……这么说来，这次不是侏儒怪搞的鬼？”

“应该不是。瞧，你父亲的 12 位大臣正准备出发去找玛蒂尔达呢！”王后把彼得带到了阳台上。12 位大臣骑着马正要出发。

“不是一共有 24 位大臣吗？其他 12 位呢？”

“他们……他们也变成了青蛙。”王后说着又哭了起来。

彼得越想越觉得事态严重。如果女巫用的是乘法魔杖，那 24 位大臣与 1/2 相乘后，应该有 12 位大臣消失，而不是变成青蛙。人怎么会变成青蛙呢？难道是被施了某种更邪恶的魔法？不行，一定要想办法阻止女巫！

彼得首先来到了城堡里的沼泽地，这里有很多青蛙，可都是些普通的青蛙，没什么怪异之处。就在他准备离开的时候，忽然听到旁边的一个洞穴里传来一阵熟悉的怪笑声。彼得蹑手蹑脚地朝声音传来的方向走去。

“玛蒂尔达，你的青蛙水晶球真是太厉害了！要是只用除法魔杖，哪儿能引起这么大的骚动啊！”是侏儒怪的声音！

“要不了多久，我们就能把整个王国变成一个青蛙王国啦！哈哈哈！”女巫的声音尖锐刺耳。

“原来是这两个人一起搞的鬼！”彼得心想。顺着侏儒怪的目光，彼得看到女巫手上拿着一个闪闪发亮的水晶球，看起来非常诡异。侏儒怪的手里握着一根魔杖。这根魔杖和乘法魔杖一样，上面也刻着一个符号。不过不是代表乘法的 ×，而是一条短线，短线上下各有一个圆点。

“没错！那个爱管闲事的彼得竟敢把我们困在‘0 之深渊’，真是太可恶了。我们很快就可以报仇了！”侏儒怪嘎嘎地笑起来。

“他们一定猜不到，你的数学魔法能帮我们从那个鬼地方逃出来。”女巫说。

“等抓到了那小子，我一定要好好儿教训教训他……”

“侏儒怪！我们说好的，那小子归我！你看，现在女巫都流行吃青蛙王子。”女巫说着，把一本杂志伸到侏儒怪面前，“杂志上说了，青蛙王子不仅味道鲜美，而且能让皮肤变得光滑细嫩……”

“放心吧。我会把彼得王子交给你的——而且，马上就交给你！”

彼得还没反应过来，就被眨眼间来到他身后的侏儒怪推到了女巫面前。

“放开我！”彼得挣扎着喊道。

“脾气真暴躁，简直跟他父亲一模一样。”女巫怪笑着，舔了舔嘴唇，“我要把他做成一道独一无二的美味大餐。”

侏儒怪也跟着笑了起来，“不过，我得先向他要一件东西。”

“我们说好了，他归我！”女巫不满地叫道，“现在我就要把他炖成汤喝了！”

“玛蒂尔达，乘法魔杖还在他手里呢！要是把乘法魔杖和我们手里的除法魔杖联合起来，那我们就所向无敌了。到时候，我们会拥有强大的乘除魔法，没有人能够阻挡我们！”接着，侏儒怪又不情愿地加了一句，“到时候我保证让你先用。”

“那好吧！”女巫转过身，盯着彼得恶狠狠地问道：“快说！乘法魔杖在哪儿？”

“我不会告诉你们的！”彼得大声回答道。

“你会说的。”说着，侏儒怪对着水晶球挥了挥除法魔杖。透过水晶球，彼得看见小零正在城堡附近的一个巷子里嗅来嗅去。“小狗小狗，除以 1！”话音刚落，就看见可怜的小零变成了一只又像青蛙又像狗的“青蛙狗”。

“快把它变回去！”彼得激动地冲侏儒怪喊道。

“把乘法魔杖给我，我就把它变回去。”侏儒怪说。

“你们不是有水晶球吗？为什么不让它告诉你们乘法魔杖在哪儿？”彼得反问道。

“我亲爱的王子，水晶球只能看到有生命的东西。”女巫没好气儿地说，“我只是一名女巫，可没法儿让不可能的事情变成可能！”

“什么坏事你没干过？把奶牛都弄得呱呱叫了。”彼得小声嘀咕道。

彼得转身对侏儒怪和女巫说：“你们先带我去找小零，只有它知道乘法魔杖在哪儿。”

彼得并不想把乘法魔杖交给侏儒怪和女巫，但他只能先想办法离开这里。

“好！”侏儒怪说着，把水晶球放到魔杖顶上，“你要是敢耍花样，我就把你也变成青蛙，一辈子都休想变回来！”

女巫在一旁咯咯坏笑，“侏儒怪，你可别吓坏了可爱的王子！”

三个人走出洞穴，去找小零。一路上，侏儒怪都在用水晶球和除法魔杖取乐。“屠夫夫妇屠夫夫妇，除以2！”他刚说完，屠夫的妻子就变成了一只大青蛙，冲着自己的丈夫呱呱直叫。屠夫吓得都快昏过去了。

不一会儿，他们又看到了一个小女孩儿，她正在和 12 只小猫玩耍。

“小猫小猫，除以 3！”侏儒怪喊道。瞬间，其中 4 只小猫变成了呱呱叫的“青蛙猫”。

“侏儒怪每次除以的数都不一样。他是怎么知道应该除以几的？”彼得很纳闷儿。

看着那些小猫，彼得忽然明白了。12 只小猫可以分成 3 组，每组 4 只。侏儒怪将人或动物分成数量相等的若干组，然后用总数除以组数，其中一组就会变成“青蛙怪”！

很快，侏儒怪又将除法魔杖对准了一个小马童，他正忙着把马赶进马厩里。

“侏儒怪，让我试试！”女巫不满地喊道。

“你根本不会用除法魔杖！”侏儒怪说。

女巫不管三七二十一,一把抢过除法魔杖。“这能有多难? 看见那匹马了吗? ”她把除法魔杖对准一匹马，念道:“马儿马儿，除以 1/4！”只见那匹马立刻变成了 4 匹“青蛙马”。小小的“青蛙马”追着小马童蹦了出来，吓得小马童到处跑。

彼得疑惑地挠了挠后脑勺。为什么除以分数后反而出现了更多的“青蛙马”呢? 很快，他就发现，这 4 匹“青蛙马”的大小只有原先那匹马的 1/4。

“快把除法魔杖还给我！”说着，侏儒怪便向女巫扑了过去。

女巫迅速跳到一边，躲开了侏儒怪。“我再玩会儿！”说着，她把除法魔杖对准 2 只小猪，兴奋地念道：“小猪小猪，除以 1/5！”顿时，草地上出现了 10 只呱呱叫的“青蛙小猪”。女巫盯着它们，口水都要流出来了。“不知道这些小东西炖成汤味道怎么样……”

就在女巫出神的瞬间，侏儒怪一把将水晶球从除法魔杖上拿了下来，大声嚷道：“不要再变了！我受够这些青蛙了！”

见水晶球被夺走了，女巫生气地将除法魔杖丢到一边，大叫着朝侏儒怪冲了过去。两个人很快就厮打起来。就在这时，彼得趁机捡起除法魔杖飞快地逃走了。

彼得一口气跑到了水晶球里出现的那条小巷里，小零果然还在那里。看到自己的小主人，小零呱呱地叫了几声。“小零，你把乘法魔杖藏哪儿了？快带我去找！”彼得着急地问道。小零呱呱呱地叫了三声蹦走了，彼得赶紧跟了过去。

很快，小零便把彼得带到了自己藏宝的地方。只见地上有 15 个洞，洞口都被封得严严实实的。彼得灵机一动，说：“用这根除法魔杖可以把洞变少。我一定要在侏儒怪和女巫发现我们之前找到乘法魔杖。”

彼得发现这些洞正好是 5 排，每排 3 个。“15 除以 5 的话，就剩下 3 个洞……要是……”他举起除法魔杖，对准洞口念道：“洞洞，除以 15。”果然，地上只剩下 1 个洞了。

突然，侏儒怪和女巫出现了。他们一把抢过彼得手中的除法魔杖。

“你真以为自己跑得了吗？”侏儒怪冷笑道，“乘法魔杖在哪儿？”

“我不知道！”彼得回答道。

“哈哈，不知道？那你跑到这儿来干什么？肯定在这个洞里！”侏儒怪叫喊着，开始在洞里挖了起来。不一会儿，他就把乘法魔杖挖了出来。

“快把我的小狗变回原样！”彼得要侏儒怪兑现承诺。

“还没到时候。”侏儒怪把刻有 × 的一端和 ÷ 的一端分别朝外，将两根魔杖接在了一起。只见魔杖一下子就噼里啪啦地燃烧起来，侏儒怪连忙把魔杖丢在了地上。不一会儿，火熄灭了，地上出现了一根亮闪闪的金魔杖。

侏儒怪小心地把水晶球放回刻有 ÷ 的那一端，然后举起魔杖叫起来：“我终于拥有举世无双的乘除魔法了！哈哈哈！”

这时候，女巫飞快地从侏儒怪手中抢过了金魔杖。

“你疯了？”侏儒怪冲她吼了起来，“你根本不会用这根魔杖！万一出现无效的等式，不但会毁掉魔杖，连我们的魔法也会一起消失！”他的声音里透出了一丝恐惧。

“你说过新魔杖让我先用！少啰唆！”女巫不耐烦地一脚把侏儒怪踢倒在地。

“我刚才只是说说而已……”侏儒怪嘴里咕哝着，一脸的不情愿。

“别废话，现在我们可以把整个王国变成青蛙王国了！哈哈哈！”女巫又疯狂地笑了起来。

彼得听了他们的话，心里非常着急。怎样才能阻止他们呢？

“快滚开！”女巫忽然尖叫起来。彼得一看，小零正绕着女巫跳来跳去，还不停地用长长的舌头去舔女巫手里的魔杖。

女巫生气地四处挥舞着魔杖，“滚开！谁都别想阻止我！”

“小零，快过来！”彼得喊道。就在这时，彼得忽然冒出一个想法，用一个东西除以 0，是不是能让那个东西消失呢？上次就是用侏儒怪乘以 0 后，才把他困到“0 之深渊”的。

彼得又想了想，除法是将事物分成数量相等的几组。但是分成0组，就没有任何意义了。这会不会就是侏儒怪说的“无效的等式”呢？除以0，也许就能毁了这根魔杖！想到这儿，彼得非常激动，他决定试一试。

“玛蒂尔达，”彼得喊道，“快！用侏儒怪除以0！这样所有东西就都是你的了！”

“别听他的！”侏儒怪听到彼得的话，大惊失色。

“好主意！不过我可少不了侏儒怪。”女巫的脸上露出一丝邪恶的笑，“我有一个更好的主意。”说着她将魔杖对准小零，“小狗小狗，除以——”

“不要！”彼得大叫着朝小零冲了过去。

“不要……”侏儒怪也惊恐地尖叫起来。他伸长手臂扑向女巫，想要抓住魔杖，阻止将要发生的一切。

可是已经来不及了！“O！”女巫大声喊道。顷刻间，魔杖爆炸了，水晶球迸裂成一团团绿色的火花。小零又变成了小狗，魔法消失了！当绿色的火花溅到侏儒怪和女巫身上时，他们立刻变成两只“青蛙怪”，一蹦一跳地逃走了。

“小零，我们成功了！”彼得抱起心爱的小狗喊起来。

在魔杖爆炸的一瞬间，整个王国都恢复了原样。彼得打败侏儒怪和女巫玛蒂尔达的事很快就流传开来，大家纷纷向他表示感谢。国王和王后夸他是个了不起的数学魔法师，鼓励他学习更多的数学魔法。不仅如此，他们还奖励了小零一块地，让它专门藏自己的宝贝。

至于侏儒怪和女巫玛蒂尔达，他们可就惨了，还有一大堆麻烦等着他们呢！

神奇的除法

除法就是把事物分成若干等份的运算方法，如 6 ÷ 2=3，其中 6 是被除数，2 是除数，3 是商。

6	÷	2	=	3
被除数		除数		商

除以分数

既然除法是把事物分成若干等份，那为什么除以分数时，结果会比原来还要大呢？这是因为当除数是分数时，实际上把整个事物分成了若干小份。比如，把下面的这 3 个方框除以 1/5，就是要把这 3 个大方框分成大小是原来的 1/5 的小方框，能分成几个呢？答案是 15。

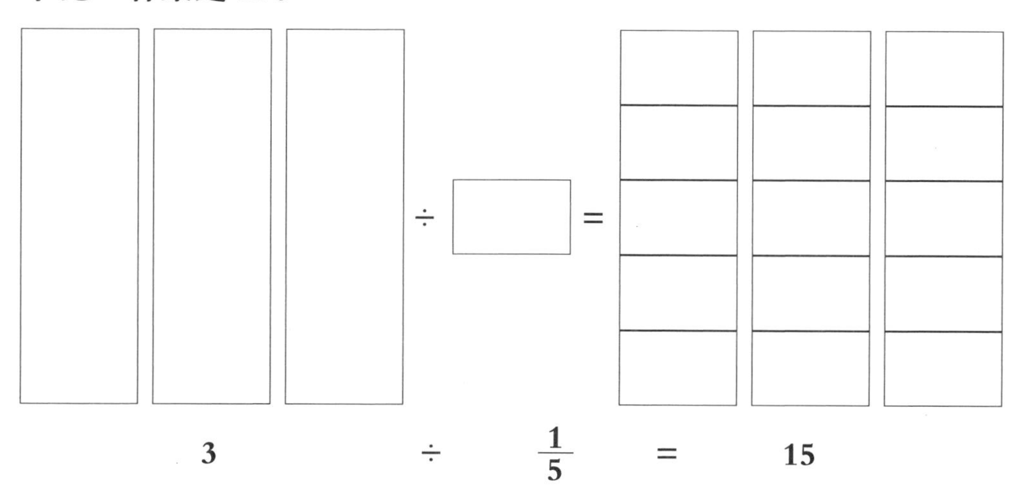

$$3 \div \frac{1}{5} = 15$$

这种除法还有一种更为简单的计算方法，就是将被除数与除数的倒数相乘。一个数的倒数就是把它的分子和分母调换位置，如 5/1 是 1/5 的倒数。用这个方法，刚才的问题就可以这样计算：

$$3 \div \frac{1}{5} = 3 \times \frac{5}{1} = 15$$

除以 0

$$5 \div 0 = ?$$

也就是说，想要把5个方框分成0组，该怎么分呢？没办法分。因此，我们通常说，除数不能为0，除数为0无意义。